Texte : Carole Tremblay
Illustrations : Philippe Germain

Fred Poulet enquête sur sa boîte à lunch

À PAS DE LOUP

Niveau

4

En route vers le roman

Dominique et compagnie

À pas de loup avec liens Internet

www.dominiqueetcompagnie.com/pedagogie

ouvre la porte à une foule d'activités pour les enfants, les parents et les enseignants. Un véritable complément à l'apprentissage de la lecture !

**Catalogage avant publication
de Bibliothèque et Archives Canada**

Tremblay, Carole, 1959-
Fred Poulet enquête sur sa boîte à lunch
(À pas de loup. Niveau 4, En route vers le roman)
Pour enfants.

ISBN-13 : 978-2-89512-472-6
ISBN-10 : 2-89512-472-8

I. Germain, Philippe, 1963- . II.Titre. III. Collection.

PS8589.R394F733 2006 jC843'.54 C2006-940539-5
PS9589.R394F733 2006

Directrice de collection : Lucie Papineau
Direction artistique et graphisme :
Primeau & Barey
Dépôt légal : 3e trimestre 2006
Bibliothèque et Archives nationales
du Québec
Bibliothèque nationale du Canada

Dominique et compagnie
300, rue Arran, Saint-Lambert
(Québec) Canada J4R 1K5
Téléphone : (514) 875-0327
Télécopieur : (450) 672-5448
Courriel : dominiqueetcie@editionsheritage.com
www.dominiqueetcompagnie.com

Imprimé au Canada

10 9 8 7 6 5 4 3 2 1

Nous remercions le Conseil des Arts du Canada de l'aide accordée à notre programme de publication.

Nous reconnaissons l'aide financière du gouvernement du Canada par l'entremise du Programme d'aide au développement de l'industrie de l'édition (PADIÉ) pour nos activités d'édition.

Nous reconnaissons l'aide financière du gouvernement du Québec par l'entremise du Programme de crédit d'impôt pour l'édition de livres – SODEC – et du Programme d'aide aux entreprises du livre et de l'édition spécialisée.

À Nicolas, qui aime
vraiment mieux la pizza
que le tofu

Les héros

Fred Poulet

C'est moi. Enfin, c'est mon nom de détective. Ne me demandez pas mon vrai nom, il est *top secret*. Seul le patron est au courant de ma véritable identité.

Le patron

Le patron, c'est mon père. Il est journaliste. C'est lui qui m'a enseigné comment poser les bonnes questions. Malheureusement, il n'a pas toujours les bonnes réponses.

Blanc-Bec

C'est mon associé. La nuit, il monte la garde dans ma chambre pour s'assurer que personne ne vient fouiller les dossiers de l'agence de détective Fred Poulet. Sa discrétion est absolue.

Charlotte
C'est une fille de ma classe qui est végétarienne. Pas vietnamienne, végétarienne. Contrairement à moi, c'est une spécialiste du tofu. Elle m'a beaucoup aidé.

Le thermos
L'arme du crime. Son contenu hautement toxique a pratiquement mis ma vie en danger.

Le dossier
Un brillant détective (moi) risque la mort parce que son père a été victime d'un dangereux lavage de cerveau.

Qui lui a mis dans la tête que le pain 15 grains pouvait être digéré ? Comment a-t-il obtenu ces recettes dignes d'un film d'horreur ?

Interrogatoires, indices, déductions : Fred Poulet mène l'enquête et cherche le coupable !

Lundi, 7 h 15 min

L'alarme d'incendie se déclenche. Des pompiers
en tutu rose enfilent leur casque et leurs bottes.
Ils glissent le long du poteau. Ils grimpent dans leur
camion. Étonnamment, c'est un camion d'ordures.
L'alarme sonne toujours.

7 h 16 min
J'ouvre les yeux. Les pompiers disparaissent et
ma chambre apparaît à la place de la caserne.

7 h 17 min
J'étends le bras et j'arrête mon réveil. Oups !
C'était lui que j'entendais… Pas l'alarme d'incendie.

7 h 18 min

Je bondis hors de mon lit comme James Bond pourchassé par un méchant espion russe. Mes yeux font le tour de ma chambre. Rien à signaler. Mon fidèle Blanc-Bec a monté la garde toute la nuit. Aucun intrus n'a réussi à s'infiltrer dans les bureaux de l'agence de détective Fred Poulet.

7 h 22 min

Le patron passe la tête dans l'encadrement de la porte.

– Debout, là-dedans ! lance-t-il.

Il est trop endormi pour se rendre compte que je ne suis même plus dans mon lit.

7 h 30 min
J'aperçois le célèbre
détective Fred Poulet
qui se lave les oreilles.
C'est normal, je suis
devant le miroir.

7 h 33 min
Le patron prépare mon petit-déjeuner. Il m'annonce,
tout fier, qu'à partir d'aujourd'hui nous allons
manger exclusivement des produits santé.
Un frisson d'horreur me traverse. Je crains le pire.

7 h 34 min

Le pire arrive. Il est dans mon assiette.

Menu du petit-déjeuner

Lait de soya à saveur de papaye (mégagluant)
Pain 15 grains (dur comme du bois)
Confiture de betteraves (au goût de moisi)
Beurre de noix de karité (tellement épais qu'il
est impossible de parler la bouche pleine)

7 h 40 min
L'heure est grave. Le
patron n'est pas dans
son état normal. Son
esprit semble contrôlé
par quelqu'un qui me
veut du mal. Il faut
que je trouve celui qui
a fait un lavage de
cerveau à mon pauvre
père. C'est une question
de vie ou de mort.

7 h 45 min
Je refile le reste de ma tartine à Blanc-Bec.
(Je l'avais discrètement cachée dans ma poche
de pyjama.) Ses dents lui permettront peut-être
de réduire l'ennemi en miettes.

7 h 46 min

J'entends un drôle de bruit. Je me retourne. Blanc-Bec vient de jeter la croûte du pain 15 grains hors de sa cage. Mon assistant a vraiment les mêmes goûts que moi.

7 h 50 min
Le doute me submerge tout à coup. Quels aliments
coriaces et surnaturels vais-je trouver dans ma
boîte à lunch ? Profitant du fait que le patron est
aux toilettes, je me confectionne un kit de survie,
au cas où.

8 h 3 min
Je salue le patron, que je reconnais
malgré son déguisement, et je sors
en vitesse prendre mon autobus.

8 h 12 min
Dans l'autobus, je dresse une liste
des coupables potentiels :

La télévision
Elle peut diffuser des émissions dangereusement
éducatives pour les adultes.

Un magazine féminin
Il en traîne partout, juste pour
attirer l'attention des victimes
innocentes.

Jean-Serge, un collègue de travail de mon père
Il tricote lui-même ses
chaussettes et a essayé
de convaincre mon père
d'en faire autant.

L'infirmière de l'école
Une obsédée de la santé qui est prête à tout pour qu'on ne rate pas un jour de classe.

Ma grand-mère
Elle ne cesse de répéter que mon père me nourrit mal et va me ruiner la santé.

8 h 28 min
Le chauffeur m'informe que tout le monde est déjà descendu de l'autobus, que la cloche a sonné et que les cours commencent dans deux minutes. Je me dépêche de ranger ma liste de criminels.

9 h 6 min

J'ai une illumination en pleine dictée. Savoir si d'autres parents ont été victimes du même lavage de cerveau que mon père me permettrait peut-être d'avancer dans mon enquête. Je décide de distribuer un questionnaire sur les habitudes alimentaires de mes camarades.

Questionnaire

Qu'as-tu mangé pour le petit-déjeuner ?

☐ Quelque chose de normal
☐ La même chose que ton animal de compagnie
☐ Un truc dur et/ou gluant, bon pour la santé

Que contient ta boîte à lunch ?

☐ Des aliments qu'on voit à la télé
☐ Des aliments qui s'achètent à l'épicerie
☐ Des aliments venus d'une autre planète

9 h 8 min
Mon questionnaire est confisqué par l'enseignante.

9 h 8 min 30 s
Assis à un pupitre collé au bureau de l'enseignante,
je décide de remettre mon enquête à la récréation.

9 h 27 min
L'énigme du lavage de
cerveau paternel occupe
toutes mes pensées.
Je n'arrive pas à me
concentrer. Je décide
de tenter une sortie.

21

9 h 28 min

J'entre en catimini dans la salle des enseignants.
Elle est déserte. Je me précipite sur une pile de
magazines. Je les feuillette un à un pour voir si un
article ne vanterait pas les bienfaits des aliments
dégoûtants. Je ne trouve rien. Mais j'apprends
beaucoup de choses sur les différentes sortes de
crèmes antirides.

9 h 46 min
Le prof d'éducation physique entre dans la salle. Je me précipite sous la table. Il se dirige vers les toilettes au pas de course. Je me rappelle tout à coup que je dois retourner en classe.

9 h 47 min
Mon enseignante me demande d'un air soupçonneux où j'étais passé. Je bafouille que j'ai très, très mal au ventre… Elle me propose d'aller voir l'infirmière. L'occasion est trop belle. J'accepte en m'efforçant de ne pas sourire.

9 h 49 min
Couché sur un lit, un thermomètre dans la bouche, j'examine les affiches sur les murs de l'infirmerie :

9 h 52 min
J'élimine l'infirmière de l'école comme coupable potentielle. Son guide alimentaire ne propose rien de dangereux pour la santé des enfants.

9 h 53 min
L'infirmière m'apprend ce que je savais déjà : je ne fais pas de fièvre.

10 h 1 min

Je poursuis mon enquête pendant la récréation.
Sur les 28 élèves de ma classe, seule Charlotte a
mangé du pain 15 grains avec de la purée
d'algues. Sa famille est végétarienne et elle a l'air
de trouver ça tout à fait normal.

12 h 2 min

J'ouvre ma boîte à lunch. Voici ce que j'y trouve :
Une carambole certifiée biologique, toute flétrie
Un jus de céleri et de navet
Un caillou (du moins, ça y ressemble, bien qu'il y
ait du miel sur la liste des ingrédients)
Un thermos

12 h 2 min 3 s

Je jette un coup d'œil à Charlotte qui jette un coup
d'œil à ma boîte à lunch. Elle a encore l'air de
trouver ça tout à fait normal.

12 h 2 min 30 s

Après un moment d'hésitation, je prends mon courage à deux mains et j'ouvre le thermos. C'est pire que ce que je craignais. Il est rempli d'une matière brune où flottent des grumeaux jaunes. Je n'ai aucune idée de ce que c'est. Je vais devoir consulter une experte scientifique.

12 h 4 min

Je demande à Charlotte si elle reconnaît la substance.

Peut-être du seitan strogonoff raté? Ou du tofu à la méditerranéenne pourri?
En tout cas, ce n'est vraiment pas appétissant.

12 h 10 min

Charlotte est d'accord avec moi. Il est évident qu'un père normal ne mettrait pas une chose pareille dans le thermos de son fils. Devant cette preuve irréfutable qu'une dangereuse menace pèse sur moi, ma spécialiste accepte de devenir ma complice. Pendant qu'elle distrait le surveillant, je jette le contenu de ma boîte à lunch dans la poubelle. La poubelle fait un drôle de bruit. On dirait qu'elle n'aime pas ça, elle non plus.

12 h 15 min

Par bonheur, j'avais prévu le coup. Je ne mourrai pas de faim. Je sors mon kit de survie. Je mange quelques miettes de craquelins mous avec de la sauce soya. Je trempe des macaronis pas cuits dans la poudre de chocolat. Finalement, ce n'est pas si mauvais.

12 h 17 min

Le bruit que je fais en croquant les macaronis crus attire l'attention du surveillant. Il vient voir ce que je mange. Il est étonné, mais il ne fait aucun commentaire.

13 h 1 min
Je vois le surveillant parler à mon enseignante en me montrant du doigt.

13 h 6 min
Mon enseignante parle avec l'infirmière en me jetant des regards étranges.

14 h

Juste avant la récré, je suis convoqué à l'infirmerie.
L'infirmière me remet une lettre que je dois donner à
mon père. Comme la lettre est cachetée, je ne peux
pas la lire. Mais je connaîtrai son contenu avant ce
soir, c'est sûr !

15 h 30 min
L'autobus me ramène à la maison. Si j'ai un peu de chance, papa ne sera pas rentré et je pourrai lire la lettre.

16 h 3 min

La bouilloire fume comme une locomotive. Je m'apprête à ouvrir la lettre. Il faut que je fasse attention de ne pas me brûler les doigts avec la vapeur.

16 h 4 min

Je mets un pansement sur ma brûlure. Je m'étais pourtant prévenu…

16 h 7 min
Victoire ! J'ai enfin réussi
à ouvrir l'enveloppe !

16 h 7 min 38 s
Ouille ! La lettre est toute
gondolée à cause de
la vapeur. Est-ce que je
vais arriver à lui rendre
un aspect normal ?

Cher Monsieur,

Votre fils s'est plaint de maux de ventre toute la matinée. Peut-être cela a-t-il un rapport avec son alimentation? Le surveillant du dîner m'a parlé du contenu de sa boîte à lunch. Cela ne correspond pas tout à fait à ce que nous considérons comme un repas équilibré pour un enfant en pleine croissance. Vous trouverez ci-joint un guide alimentaire qui vous aidera, nous le souhaitons, à faire des choix éclairés en matière d'alimentation.

Anne Truc-Muche

L'infirmière de l'école

Il faut absolument que mon père lise cette lettre!

16 h 12 min
Je tente de repasser la lettre pour lui redonner un air normal. À défaut de trouver qui a mis ces idées saugrenues dans le cerveau du patron, je vais au moins empêcher le crime alimentaire de se reproduire.

16 h 15 min
Catastrophe ! J'ai brûlé la lettre avec le fer à repasser ! Que faire ?

16 h 18 min

Je tourne plusieurs fois en rond dans ma chambre,
comme Blanc-Bec dans sa roulette, avant de trouver
la solution : je vais retaper la lettre de l'infirmière
à l'ordinateur et imiter sa signature !

16 h 23 min

Je tape la lettre
de l'infirmière,
en essayant de ne
pas faire de fote,
euh... de fautes.

16 h 37 min
Je mets l'imprimante en marche. Elle clignote de
façon étrange. J'appuie quand même sur le bouton
pour déclencher l'impression.

16 h 42 min
L'imprimante est devenue folle. Elle crache des
feuilles chiffonnées, les unes après les autres.
Je n'arrive pas à l'arrêter. Il y a du papier partout
par terre. Je sue de tous les pores de ma peau.

16 h 48 min

Je parviens à stopper le massacre.

C'est le moment que choisit le patron pour arriver.

Pris de panique, j'essaie de ramasser le papier

qui couvre le sol du bureau.

16 h 49 min

Papa regarde la bouilloire, le fer à repasser, la lettre brûlée, le tas de papier que j'ai dans les bras, mon visage rouge et luisant. Il voit aussi la sauce soya et la poudre de chocolat qui sortent de mon sac d'école. Ses sourcils se froncent. Je sens que je vais avoir droit au discours spécial du patron. Mais non, tout ce qu'il demande, c'est :

Est-ce que ce désordre a quelque chose à voir avec le contenu de ton thermos à midi ?

16 h 50 min
Je reste stupéfait devant la rapidité de déduction du chef. Ce n'est pas pour rien qu'il est mon idole.

16 h 51 min

Papa poursuit :

—En tout cas, moi, je n'ai jamais eu aussi mal au ventre de toute ma vie. Ta tante Agathe ne m'aura plus jamais avec ses idées de régime santé. Je préfère avoir quelques kilos de trop que de souffrir comme ça.

—Par la moustache de Sherlock Holmes, c'est donc elle, la coupable de ce crime odieux !

Attablé devant un bon vieux spaghetti à la sauce tomate, mon père me dit :

— Tu sais, Nicolas (Ah ! non ! Il a révélé mon vrai nom !), plutôt que de faire une grande enquête secrète, c'est parfois beaucoup plus simple de dire les choses et de poser les vraies questions.

J'acquiesce, la bouche pleine.

18 h 1 min
Mais Fred Poulet ne peut s'empêcher
de penser : « Peut-être bien, patron,
mais c'est pas mal moins amusant que
de jouer au détective. »
Pas vrai, Blanc-Bec ?

Fin de la deuxième enquête